I Love My

Mummy

bookoli

I love my mummy because she **bOUNCeS** on my bed,

And shouts out "Good morning!" before kissing my head.

I **love** my mummy

because when she makes things to eat,

She says if I'm good then

I might get a **treat**!

I **love** my mummy because she helps me get dressed,

And always makes sure that I look my best.

I love my mummy

because she's so **funny**.

When we go to the farm,
she **hops**
like a **bunny**!

I love my mummy
because she helps me to bake.
We make muffins and cookies
and a big chocolate cake.

I love my mummy because on a rainy day,

She always comes up with

fun games we can play.

I love because she shows things to me.

And teaches me about

all the creatures I see.

I **love** my mummy

because when I get in a muddle,

She's there to give me a **kiss** and a **cuddle**.

I **love** my mummy because we always **laugh**.

When we sing and play in our

bubble bath!

I love my mummy because she **reads** to **me** before bed,

And tells me fun stories

made up in her head.

I love my mummy because she hugs me tight,

Before tucking me in and saying, "Night, night."

I **love** my mummy because

she finds a special way,

To show that **she** loves me each and **every** day!